EDITORAS ASSOCIADAS

Ricardo
Massara
Brasileiro

os cágados

jabuti é bicho da terra
tartaruga é bicho do mar
e cágado?
o que será?

cágado é bicho d'água
bicho brejeiro
de rio
de arroio
de açude
é bicho de água barrenta
vive quase em lamaçal
cágado não é bagre
mas às vezes vem ao anzol

o cágado é bicho d’água
disso já sabemos nós
por que o paradoxo então
de mais cágados no solo e no chão?

o cágado está triste com a vida

o cágado não vai mais ao cinema
o cágado só faz trabalhar
o cágado trabalha no escritório
o cágado trabalha na academia
o cágado trabalha no almoço
o cágado trabalha no jantar

o cágado está triste com a vida

o cágado josé veio de uma família rica que só
gostava de tv
o cágado leone nasceu com a bunda pra lua
a cágada helena era só cágada mesmo
cresceram
encontraram-se
interessaram-se
enamoraram-se
casaram-se uns
procriaram cagadinhos
separaram-se
e com eles se deu o que se dá com todos
os cágados

o cágado josé gostava do ratinho
o cágado josé gostava da angélica
o cágado josé gostava da ana maria
da fátima
do leão
o cágado josé achava que eram todos artistas

o cágado josé gostava de heróis
o cágado josé acreditava em tudo o que ouvia
o cágado josé acreditava nas chamadas de jornal
o cagado josé acreditava nas chamadas das
revistas eletrônicas
o cágado josé às vezes achava que era um pássaro
o cágado josé nasceu, viveu e morreu cágado

o cágado leone viajava muito
o cágado leone gostava de passear
o cágado leone voltava triste pra casa

a cágada helena era linda
a cágada helena parecia uma flor
a cágada helena gostava de ser amada
a cágada helena sempre teve mais de um amor

o cágado está triste com a vida

o cágado foi à corte
saiu de lá com a visão de uma peruca

o cágado está triste com a vida

o cágado foi à corte
saiu de lá com o cabelo acaju

o cágado está triste com a vida

o cágado foi à corte
saiu de lá condenado

o cágado está triste com a vida

o cágado foi à corte
saiu de lá mais cágado

o cágado está triste com a vida

o cágado foi à corte
e lá teve uma visão do rei e da nobreza

o cágado está triste com a vida

o cágado foi à corte
e por lá ficou

o cágado está triste com a vida

o cágado foi à corte
e deixou no banheiro um presente

o cágado está triste com a vida

o cágado foi à corte
e lá cansou-se de esperar

o cágado está triste com a vida

o cágado foi à corte
e saiu de lá na aposentadoria compulsória

o cágado está triste com a vida

o cagadinho começa bem cágado
isso é coisa familiar
o cagadinho
coitado do bichinho
dificilmente se salvará

o cágado está triste com a vida

o cágado gosta de cerveja
o cágado gosta de bar
à mesa muita coisa se ajeita
na vida muito há de se amar

cágado
cágado
cágado
assim foi o êxtase do sermão
cágado
cágado
cágado
melhore essa vida, mermão!

o cágado não é jabuti
o cágado não é tartaruga
meteu-se a jabuti
perdeu a corrida pra lebre
meteu-se a tartaruga
morreu afogado

o cágado gosta de cerveja
o cágado gosta de bar
à mesa muita coisa se ajeita
na vida muito há de se amar

ó cágado, bichinho esquisito
ó cágado, que também não é do ar
cuidado com a viola em que entras
para do céu não deveres planar

o cágado bicho d'água
em terra é muito lento
chegou atrasado na escola
e lá ficou sem assento

o cágado pensador
apaixonou-se por um lindo Rodin
e pensou
e pensou
e pensou

o cágado saiu de casa apertado
o cágado estava atrasado pra sair
o cágado passou um grande sufoco
pra não ficar mais cágado

no meio de um aperto do cágado
o cágado filosofou
cágado por um
cágado por mil!
e não sofreu e sofreu mais

cágados de todo o mundo
uni-vos!

Catalogação na Publicação (CIP)

B823

Os cágados / Ricardo Massara Brasileiro. - Belo Horizonte : Quixote+Do Editoras Associadas, 2019.

96 p. (Os Cágados ; 1)

ISBN da coleção 978-85-66256-45-1
ISBN da obra 978-85-66256-47-5

1. Poesia brasileira. I. Título.

CDD: B869.1

Bibliotecária responsável: Fernanda Gomes de Souza CRB-6/2472

Autor Ricardo Massara Brasileiro
Revisão Valter Braga
Projeto gráfico Ana C. Bahia, Ricardo Massara Brasileiro
Diagramação Ana C. Bahia
Ilustração da capa Ricardo Massara Brasileiro

Editores
Alencar Perdigão, Cláudia Masini, Luciana Tanure, Thásia de Medeiros

Quixote+Do Editoras Associadas
www.quixote-do.com.br
Rua Fernandes Tourinho, 174
Belo Horizonte, MG, Brasil
Tel: (31) 3227-30-77

Fontes PT Serif e PT Sans
Papéis Pólen Bold 90g/m^{2}. e Cartão Supremo 250g/m^{2}
Impressão Formato Artes Gráficas